Eine Auswahl der schönsten Märchen

mit Illustrationen von Doris Hubert

Der Froschkönig
oder der eiserne Heinrich

In den alten Zeiten lebte ein König, dessen Töchter waren alle schön; aber die jüngste war so schön, dass sich die Sonne selber, die doch schon so vieles gesehen hat, verwunderte, so oft sie ihr ins Gesicht schien. Nahe bei dem Schlosse des Königs lag ein großer, dunkler Wald, und in dem Walde unter einer alten Linde war ein Brunnen. Wenn nun der Tag sehr heiß war, ging das Königskind hinaus in den Wald und setzte sich an den Rand des kühlen Brunnens, und wenn sie Langeweile hatte, nahm sie eine goldene Kugel, warf sie in die Höhe und fing sie wieder; und das war ihr liebstes Spielwerk.

Nun trug es sich einmal zu, dass die goldene Kugel der

Königstochter nicht in ihr Händchen fiel, das sie in die Höhe gehalten hatte, sondern vorbei auf die Erde schlug und geradezu ins Wasser hineinrollte. Die Königstochter folgte ihr mit den Augen nach, aber die Kugel verschwand, und der Brunnen war tief, so tief, dass man keinen Grund sah. Da fing sie an zu weinen und weinte immer lauter und konnte sich gar nicht trösten. Und wie sie so klagte, rief ihr jemand zu: „Was hast du vor, Königstochter? Du schreist ja, dass sich ein Stein erbarmen möchte." Sie sah sich um, woher die Stimme kam, da erblickte sie einen Frosch, der seinen dicken, hässlichen Kopf aus dem Wasser streckte. „Ach, du bist's, alter Wasserpatscher", sagte sie. „Ich weine über meine goldene Kugel, die mir in den Brunnen hinabgefallen ist." „Sei still und weine nicht", antwortete der Frosch. „Ich kann wohl Rat schaffen, aber was gibst du mir, wenn ich dein Spielwerk wieder heraufhole?" „Was du haben willst, lieber Frosch", sagte sie, „meine Kleider, meine Perlen und Edelsteine, auch noch die goldene Krone, die ich trage." Der Frosch antwortete: „Deine Kleider, deine Perlen und Edelsteine und deine goldene Krone, die mag ich nicht; aber wenn du mich lieb haben willst und ich soll dein Geselle und Spielkamerad sein, an deinem Tischlein neben dir sitzen, von deinem goldenen Tellerlein essen, aus deinem Becherlein trinken, in deinem Bettlein schlafen, wenn du mir das versprichst, so will ich hinunterspringen und dir die goldene Kugel wieder heraufholen." „Ach ja", sagte sie, „ich verspreche dir alles, was du willst, wenn du mir nur die Kugel wieder bringst." Sie dachte aber: „Was der einfältige Frosch schwätzt! Der sitzt im Wasser bei Seinesgleichen und quakt und kann keines Menschen Geselle sein." Der Frosch, als er die Zusage erhalten hatte, tauchte seinen Kopf unter, sank hinab, und über ein Weilchen kam er wieder heraufgerudert, hatte die Kugel im Maul und warf sie ins Gras. Die Königstochter war voll Freude, als sie ihr schönes Spielwerk wieder erblickte, hob es auf und sprang damit fort. „Warte, warte!", rief der Frosch. „Nimm mich mit, ich kann nicht so laufen wie du!" Aber was half es ihm, dass er ihr sein „Quak Quak" so laut nachschrie als er konnte! Sie hörte nicht darauf, eilte nach Hause und hatte den armen Frosch vergessen, der wieder in seinen Brunnen hinabsteigen musste.

Am andern Tage, als sie sich mit dem König und allen Hofleuten zur Tafel gesetzt hatte und von ihrem goldenen Tellerlein aß, da kam, plitsch platsch, plitsch platsch, etwas die Marmortreppe heraufgekrochen. Und als es oben angelangt war, klopfte es an die Tür und rief: **„Königstochter, jüngste, mach mir auf!"** Sie lief und wollte sehen, wer draußen wäre; als sie aber aufmachte, saß der Frosch davor. Da warf sie die Tür hastig zu, setzte sich wieder an den Tisch, und war ihr ganz angst. Der König sah wohl, dass ihr das Herz gewaltig klopfte, und sprach: „Mein Kind, was fürchtest du dich? Steht etwa ein Riese vor der Tür und will dich holen?"- „Ach nein", antwortete sie, „es ist kein Riese, sondern ein garstiger Frosch." „Was will der Frosch von dir?"- „Ach lieber Vater, als ich gestern im Wald bei dem Brunnen saß und spielte, da fiel meine goldene Kugel ins Wasser. Und weil ich so weinte, hat sie der Frosch wieder heraufgeholt, und weil er es durchaus verlangte, so versprach ich ihm, er solle mein Geselle werden; ich dachte aber nimmermehr, dass er aus seinem Wasser herauskönnte. Nun ist er draußen und will zu mir herein." Indem klopfte es zum zweiten Mal und rief: **„Königstochter, jüngste, mach mir auf!** Weißt du nicht, was gestern du zu mir gesagt bei dem kühlen Brunnenwasser? **Königstochter, jüngste, mach mir auf!"** Da sagte der König: „Was du versprochen hast, das musst du auch halten; geh nur und mach ihm auf." Sie ging und

öffnete die Tür; da hüpfte der Frosch herein, ihr immer
auf dem Fuße nach, bis zu ihrem Stuhl. Da saß er und rief:
„Heb mich hinauf zu dir!" Sie zauderte, bis es endlich der
König befahl. Als der Frosch erst auf dem Stuhle war, wollte er auf den Tisch, und als er da saß, sprach er: „Nun

schieb mir dein goldenes Tellerlein näher, damit wir zusammen essen." Das tat sie zwar, aber man sah wohl, dass sie's nicht gern tat. Der Frosch ließ sich's gut schmecken, aber ihr blieb fast jedes Bisslein im Halse. Endlich sprach er: „Ich habe mich satt gegessen und bin müde. Nun trag mich in dein Kämmerlein und mach dein seiden Bettlein zurecht, da wollen wir uns schlafen legen." Die Königstochter fing an zu weinen und fürchtete sich vor dem kalten Frosch, den sie sich nicht anzurühren getraute und der nun in ihrem schönen, reinen Bettlein schlafen sollte. Der König aber ward zornig und sprach: „Wer dir geholfen hat, als du in der Not warst, den sollst du hernach nicht verachten!" Da packte sie ihn mit zwei Fingern, trug ihn hinauf und setzte ihn in eine Ecke. Als sie aber im Bette lag, kam er gekrochen und sprach: „Ich bin müde, ich will schlafen so gut wie du; heb mich hinauf oder ich sag's deinem Vater." Da ward sie erst bitterböse, holte ihn herauf, warf ihn aus allen Kräften wider die Wand und sagte: „Nun wirst du Ruhe haben, du garstiger Frosch!"

Als er aber herabfiel, war er kein Frosch, sondern ein Königssohn mit schönen, freundlichen Augen. Der war nun nach ihres Vaters Willen ihr lieber Geselle und Gemahl. Da erzählte er ihr, er wäre von einer bösen Hexe verwünscht worden, und niemand hätte ihn aus dem Brunnen erlösen können als sie allein, und morgen wollten sie zusammen in sein Reich gehen. Dann schliefen sie ein, und am andern Morgen, als die Sonne sie aufweckte, kam ein Wagen herangefahren mit acht weißen Pferden bespannt, die hatten weiße Straußenfedern auf dem Kopfe und gingen in goldenen Ketten, und hinten stand der

Diener des jungen Königs, das war der treue Heinrich. Der treue Heinrich hatte sich so betrübt, als sein Herr in einen Frosch verwandelt worden war, dass er drei eiserne Bande hatte um sein Herz legen lassen, damit es ihm nicht vor Weh und Traurigkeit zerspränge. Der Wagen aber sollte den jungen König in sein Reich abholen; der treue Heinrich hob beide hinein, stellte sich wieder hinten auf und war voller Freude über die Erlösung. Und als sie ein Stück Wegs gefahren waren, hörte der Königssohn, dass es hinter ihm krachte, als wäre etwas zerbrochen. Da drehte

er sich um und rief: „Heinrich, der Wagen bricht!" „Nein, **Herr, der Wagen nicht, es ist ein Band von meinem Herzen, das da lag in großen Schmerzen, als Ihr in dem Brunnen saßt, als Ihr ein Frosch wart."** Noch einmal und noch einmal krachte es auf dem Wege, und der Königssohn meinte immer, der Wagen bräche, und es waren doch nur die Bande, die vom Herzen des treuen Heinrich absprangen, weil sein Herr erlöst und glücklich war.

Die Prinzessin auf der Erbse

Es war einmal ein Prinz, der wollte nur eine richtige Prinzessin zur Frau haben. Er reiste durch die ganze Welt und fand viele Prinzessinnen, aber an jeder hatte er etwas auszusetzen. Außerdem wusste er nie genau, ob es auch wirklich ganz echte Prinzessinnen waren. Schließlich kehrte er betrübt wieder heim in sein Schloss. Eines Abends gab es ein schreckliches Unwetter. Es blitzte und donnerte und es regnete in Strömen. Da klopfte es ans Schlosstor, und die alte Königin ging selber hin, um aufzumachen. Draußen stand eine Prinzessin, aber, mein Gott, wie sah die aus! Das Wasser floss ihr aus den Haaren und an den Kleidern hinunter, doch sie sagte, sie sei eine echte Prinzessin. „Das werden wir schon herausbekommen", dachte die alte Königin bei sich. Sie ging in die Schlafkammer, legte eine Erbse in das Bett, packt zwanzig Matratzen hinein und legte zwanzig weiche Federbetten

oben drauf. Da sollte die Prinzessin liegen in der Nacht.
Am anderen Morgen fragte sie die Königin, wie sie geschla-
fen habe. „Oh, schrecklich schlecht", jammerte die
Prinzessin. „Ich habe die ganze Nacht kein Auge zugetan!
Ich habe auf etwas Hartem gelegen, so dass ich am ganzen
Körper blaue Flecken habe!"
Ja, sie war eine echte Prinzessin, weil sie durch zwanzig
Matratzen und durch zwanzig Federbetten hindurch eine
Erbse gespürt hatte. So feinfühlig konnte nur eine echte
Prinzessin sein. Der Prinz nahm sie zur
Frau und wurde sehr glücklich mit ihr.
Die Erbse aber kam ins Museum,
wo man sie heute noch
bewundern kann.

Schneewittchen

Es war einmal mitten im Winter, und die Schneeflocken fielen wie Federn vom Himmel herab, da saß eine Königin an einem Fenster, das einen Rahmen von schwarzem Ebenholz hatte, und nähte. Und wie sie so nähte und nach dem Schnee aufblickte, stach sie sich mit der Nadel in den Finger und es fielen drei Tropfen Blut in den Schnee. Und weil das Rote im weißen Schnee so schön aussah, dachte sie bei sich: „Hätt' ich ein Kind so weiß wie Schnee, so rot wie Blut, und so schwarz wie das Holz an dem Rahmen." Bald darauf bekam sie ein Töchterlein, das war so weiß wie Schnee, so rot wie Blut, und so schwarzhaarig wie Ebenholz, und ward darum das Schneewittchen (Schneeweißchen) genannt. Und wie das Kind geboren war, starb die Königin.

Über ein Jahr nahm sich der König eine andere Gemahlin. Es war eine schöne Frau, aber sie war stolz und übermütig und konnte nicht leiden, dass sie an Schönheit von jemand sollte übertroffen werden. Sie hatte einen wunderbaren Spiegel. Wenn sie vor den trat und sich darin beschaute, sprach sie: **„Spieglein, Spieglein an der Wand, wer ist die Schönste im ganzen Land?"** Und der Spiegel antwortete: **„Frau Königin, Ihr seid die Schönste im Land."** Da war sie zufrieden, denn sie wusste, dass der Spiegel die Wahrheit sagte.

Schneewittchen aber wuchs heran und wurde immer schöner, und als es sieben Jahre alt war, war es so schön wie der klare Tag, und schöner als die Königin selbst.

Als diese einmal ihren Spiegel fragte: „**Spieglein, Spieglein an der Wand, wer ist die Schönste im ganzen Land?**", so antwortete er: „**Frau Königin, Ihr seid die Schönste hier, aber Schneewittchen ist tausendmal schöner als Ihr.**" Da erschrak die Königin und ward gelb und grün vor Neid. Von Stund an, wenn sie Schneewittchen erblickte, kehrte sich ihr das Herz im Leibe herum, so hasste sie das Mädchen. Und der Neid und Hochmut wuchsen wie ein Unkraut in ihrem Herzen immer höher, dass sie Tag und Nacht keine Ruhe mehr hatte. Da rief sie einen Jäger und sprach: „Bring das Kind hinaus in den Wald, ich will's nicht mehr vor meinen Augen sehen. Du sollst es töten und mir Lunge und Leber zum Wahrzeichen mitbringen." Der Jäger gehorchte und führte es hinaus. Und als er den Hirschfänger gezogen hatte und Schneewittchens unschuldiges Herz durchbohren wollte, fing es an zu weinen und sprach: „Ach, lieber Jäger, lass mir mein Leben; ich will in den wilden Wald laufen und nimmermehr wieder heimkommen." Und weil es so schön war, hatte der Jäger Mitleid und sprach: „So lauf hin, du armes Kind." „Die wilden Tiere werden dich bald gefressen haben", dachte er. Und doch war's ihm, als wär ein Stein von seinem Herzen gewälzt, weil er es nicht zu töten brauchte. Und als gerade ein junger Frischling dahergesprungen kam, stach er ihn ab, nahm Lunge und Leber heraus und brachte sie als Wahrzeichen der Königin mit. Der Koch musste sie in Salz kochen, und das boshafte Weib aß sie auf und meinte, sie hätte Schneewittchens Lunge und Leber gegessen.

Nun war das arme Kind in dem großen Wald mutterseelig allein, und ward ihm so angst, dass es alle Blätter an den Bäumen ansah und nicht wusste, wie es sich helfen sollte. Da fing es an zu laufen und lief über die spitzen Steine und durch die Dornen, und die wilden Tiere sprangen an ihm vorbei, aber sie taten ihm nichts. Es lief, solange nur die Füße noch fort konnten, bis es bald Abend werden wollte. Da sah es ein kleines Häuschen und ging hinein, sich auszuruhen. In dem Häuschen war alles klein, aber so zierlich und reinlich, dass es nicht zu sagen ist. Da stand ein weißgedecktes Tischlein mit sieben kleinen Tellern, jedes Tellerlein mit seinem Löffelein, ferner sieben Messerlein und Gäblein, und sieben Becherlein. An der Wand waren sieben Bettlein nebeneinander aufgestellt und schneeweiße Laken darüber gedeckt. Schneewittchen, weil es so hungrig und durstig war, aß von jedem Tellerlein ein wenig Gemüse und Brot und trank aus jedem Becherlein einen Tropfen Wein; denn es wollte nicht einem allein alles wegnehmen. Hernach, weil es so müde war, legte es sich in ein Bettchen, aber keins passte; das eine war zu lang, das andere zu kurz, bis endlich das siebente recht war, und darin blieb es liegen, befahl sich Gott und schlief ein.

Als es ganz dunkel geworden war, kamen die Herren von dem Häuslein. Das waren die sieben Zwerge, die in den Bergen nach Erz hackten und gruben. Sie zündeten ihre sieben Lichtlein an, und wie es nun hell im Häuslein ward, sahen sie, dass jemand darin gewesen war, denn es stand nicht alles so in der Ordnung, wie sie es verlassen hatten. Der erste sprach: „Wer hat auf meinem Stühlchen gesessen?" Der zweite: „Wer hat von meinem Tellerchen gegessen?" Der dritte: „Wer hat von meinem Brötchen genommen?" Der vierte: „Wer hat von meinem

Gemüschen gegessen?" Der fünfte: „Wer hat mit meinem Gäbelchen gestochen?" Der sechste: „Wer hat mit meinem Messerchen geschnitten?" Der siebente: "Wer hat aus meinem Becherlein getrunken?" Dann sah sich der erste um und sah, dass auf seinem Bett eine kleine Delle war. Da sprach er: „Wer hat in mein Bettchen getreten?" Die andern kamen gelaufen und riefen: „In meinem hat auch jemand gelegen." Der siebente aber, als er in sein

Bett sah, erblickte Schneewittchen, das lag darin und schlief. Nun rief er die andern, die kamen herbeigelaufen und schrien vor Verwunderung, holten ihre sieben Lichtlein und beleuchteten Schneewittchen. „Ei, du mein Gott! Ei, du mein Gott!", riefen sie, „was ist das Kind so schön!", und hatten so große Freude, dass sie es nicht aufweckten, sondern im Bettlein fortschlafen ließen. Der siebente Zwerg aber schlief bei seinen Gesellen, bei jedem eine Stunde, da war die Nacht herum.

Als es Morgen war, erwachte Schneewittchen, und wie es die sieben Zwerge sah, erschrak es. Sie waren aber freundlich und fragten: „Wie heißt du?" „Ich heiße Schneewittchen," antwortete es. „Wie bist du in unser Haus gekommen?", sprachen weiter die Zwerge. Da

erzählte es ihnen, dass seine Stiefmutter es hätte wollen umbringen lassen, der Jäger hätte ihm aber das Leben geschenkt, und da wär es gelaufen den ganzen Tag, bis es endlich ihr Häuslein gefunden hätte. Die Zwerge sprachen: „Willst du unseren Haushalt versehen, kochen, betten, waschen, nähen und stricken, und willst du alles ordentlich und reinlich halten, so kannst du bei uns bleiben und es soll dir an nichts fehlen." „Ja", sagte Schneewittchen, „von Herzen gern!", und blieb bei ihnen. Es hielt ihnen das Haus in Ordnung. Morgens gingen sie in die Berge und suchten Erz und Gold, abends kamen sie wieder, und da musste ihr Essen bereit sein. Den Tag über war das Mädchen allein. Da warnten es die guten Zwerglein und sprachen: „Hüte dich vor deiner Stiefmutter, die wird bald

wissen, dass du hier bist; lass ja niemand herein!"

Die Königin aber, nachdem sie Schneewittchens Lunge und Leber glaubte gegessen zu haben, dachte nicht anders, als sie wäre wieder die Erste und Allerschönste, trat vor ihren Spiegel und sprach:
„Spieglein, Spieglein an der Wand, wer ist die Schönste im ganzen Land?"
Da antwortete der Spiegel:
„Frau Königin, Ihr seid die Schönste hier, aber Schneewittchen, über den Bergen bei den sieben Zwergen, ist noch tausendmal schöner als Ihr."

Da erschrak sie, denn sie wusste, dass der Spiegel Wahrheit sprach, und merkte, dass der Jäger sie betrogen hatte und Schneewittchen noch am Leben war. Und da sann und sann sie aufs Neue, wie sie es umbringen wollte; denn solange sie nicht die Schönste war im ganzen Land, ließ ihr der Neid keine Ruhe. Und als sie sich endlich etwas ausgedacht hatte, färbte sie sich das Gesicht und kleidete sich wie eine alte Krämerin, und war ganz unkenntlich. In dieser Gestalt ging sie über die sieben Berge zu den sieben Zwergen, klopfte an die Türe und rief: „Schöne Ware feil! feil!" Schneewittchen guckte zum Fenster heraus und rief: „Guten Tag, liebe Frau, was habt Ihr zu verkaufen?" „Gute Ware, schöne Ware", antwortete sie, „Schnürriemen von allen Farben", und holte einen hervor, der aus bunter Seide geflochten war. Die ehrliche Frau kann ich hereinlassen, dachte Schneewittchen, riegelte die Türe auf und kaufte sich den hübschen Schnürriemen. „Kind", sprach die Alte, „wie du aussiehst! Komm, ich will dich einmal ordentlich schnüren." Schneewittchen hatte kein Arg, stellte sich vor sie und ließ sich mit dem neuen Schnürriemen schnüren; aber die Alte schnürte geschwind und schnürte so fest, dass dem Schneewittchen der Atem verging und es für tot hinfiel. „Nun bist du die Schönste gewesen", sprach sie und eilte hinaus.

Nicht lange darauf, zur Abendzeit, kamen die sieben Zwerge nach Haus; aber wie erschraken sie, als sie ihr liebes Schneewittchen auf der Erde liegen sahen; und es regte und bewegte sich nicht, als wäre es tot. Sie hoben es in die Höhe, und weil sie sahen, dass es zu fest geschnürt war, schnitten sie den Schnürriemen entzwei; da fing es an ein wenig zu atmen und ward nach und nach wieder lebendig. Als die Zwerge hörten, was geschehen war, sprachen sie: „Die alte Krämerfrau war niemand als die gottlose Königin; hüte dich und lass keinen Menschen herein, wenn wir nicht bei dir sind!"

Das böse Weib aber, als es nach Haus gekommen war, ging vor den Spiegel und fragte: **„Spieglein, Spieglein an der Wand, wer ist die Schönste im ganzen Land?"** Da antwortete er wie sonst: **„Frau Königin, Ihr seid die Schönste hier, aber Schneewittchen, über den Bergen bei den sieben Zwergen, ist noch tausendmal schöner als Ihr."** Als sie das hörte, lief ihr alles Blut zum Herzen, so erschrak sie, denn sie sah wohl, dass Schneewittchen wieder lebendig geworden war. „Nun aber", sprach sie, „will ich etwas aussinnen, das dich zugrunde richten soll." Und mit Hexenkünsten, die sie verstand, machte sie einen giftigen Kamm. Dann verkleidete sie sich und nahm die Gestalt eines andern alten Weibes an. So ging sie hin über die sieben Berge zu den sieben Zwergen, klopfte an die Türe und rief: „Gute Ware feil! feil!" Schneewittchen schaute heraus und sprach: „Geht nur weiter, ich darf niemand hereinlassen." „Das Ansehen wird dir doch erlaubt sein", sprach die Alte, zog den giftigen Kamm heraus und hielt ihn in die Höhe. Da gefiel er dem Kinde so gut, dass es sich betören ließ und die Türe öffnete. Als sie des Kaufs einig waren, sprach die Alte: „Nun will ich dich einmal ordentlich kämmen." Das arme Schneewittchen dachte an nichts und ließ die Alte gewähren. Aber kaum hatte sie den Kamm in die Haare gesteckt, als das Gift darin wirkte und das Mädchen ohne Besinnung niederfiel. „Du Ausbund von Schönheit", sprach das boshafte Weib, „jetzt ist's um dich geschehen!", und ging fort. Zum Glück aber war es bald Abend, wo die sieben Zwerglein nach Haus kamen. Als sie Schneewittchen wie tot auf der Erde liegen sahen, hatten sie gleich die Stiefmutter in Verdacht, suchten nach, und fanden den giftigen Kamm. Und kaum hatten sie ihn herausgezogen, so kam Schneewittchen wieder zu sich und erzählte, was vorgegangen war. Da warnten sie es noch einmal, auf seiner Hut zu sein und niemand die Türe zu öffnen.

Die Königin stellte sich daheim vor den Spiegel und sprach: „Spieglein, Spieglein an der Wand, wer ist die Schönste im ganzen Land?" Da antwortete er wie vorher: „Frau Königin, Ihr seid die Schönste hier, aber Schneewittchen, über den Bergen bei den sieben Zwergen, ist noch tausendmal schöner als Ihr." Als sie den Spiegel so reden hörte, zitterte und bebte sie vor Zorn. „Schneewittchen soll sterben", rief sie, „und wenn es mein eig'nes Leben kostet!"

Darauf ging sie in eine ganz verborgene einsame Kammer, wo niemand hinkam, und machte da einen giftigen, giftigen Apfel. Äußerlich sah er schön aus, weiß mit roten Backen, dass jeder, der ihn erblickte, Lust danach bekam. Aber wer ein Stückchen davon aß, der musste sterben. Als der Apfel fertig war, färbte sie sich das Gesicht und verkleidete sich in eine Bauersfrau; und so ging sie über die sieben Berge zu den sieben Zwergen. Sie klopfte an, Schneewittchen streckte den Kopf zum Fenster heraus und sprach: „Ich darf keinen Menschen einlassen! Die sieben Zwerge haben mir's verboten." „Mir auch recht", antwortete die Bäuerin. „Meine Äpfel will ich schon los werden. Da, einen will ich dir schenken." „Nein", sprach Schneewittchen, „ich darf nichts annehmen." „Fürchtest du dich vor Gift?", sprach die Alte. "Siehst du, da schneide ich den Apfel in zwei Teile; den roten Backen iss du, den weißen will ich essen." Der Apfel war aber so künstlich gemacht, dass der rote Backen allein vergiftet war. Schneewittchen lüsterte den schönen Apfel an, und als es sah, dass die Bäuerin davon aß, so konnte es nicht länger widerstehen, streckte die Hand hinaus und nahm die giftige Hälfte. Kaum aber hatte es einen Bissen davon im

Mund, so fiel es tot zur Erde nieder. Da betrachtete es die Königin mit grausigen Blicken und lachte überlaut und sprach: „Weiß wie Schnee, rot wie Blut, schwarz wie Ebenholz! Diesmal können dich die Zwerge nicht wieder erwecken." Und als sie daheim den Spiegel befragte: „**Spieglein, Spieglein an der Wand, wer ist die Schönste im ganzen Land?**", so antwortete er endlich: „**Frau Königin, Ihr seid die Schönste im Land.**" Da hatte ihr neidisches Herz Ruhe, so gut ein neidisches Herz Ruhe haben kann.

Die Zwerglein, wie sie abends nach Haus kamen, fanden Schneewittchen auf der Erde liegen, und es ging kein Atem mehr aus seinem Mund, und es war tot. Sie hoben es auf, suchten, ob sie was Giftiges fänden, schnürten es auf, kämmten ihm die Haare, wuschen es mit Wasser und Wein, aber es half alles nichts; das liebe Kind war tot und blieb tot. Sie legten es auf eine Bahre, setzten sich alle siebene daran und beweinten es, und weinten drei Tage lang. Da wollten sie es begraben, aber es sah noch so frisch aus wie ein lebender Mensch und hatte noch seine schönen roten Backen. Sie sprachen: „Das können wir nicht in die schwarze Erde versenken." Sie ließen einen durchsichtigen Sarg von Glas machen, dass man es von allen Seiten sehen konnte, legten es hinein und schrieben mit goldenen Buchstaben seinen Namen darauf, und dass es eine Königstochter wäre. Dann setzten sie den Sarg hinaus auf den Berg, und einer von ihnen blieb immer dabei und bewachte ihn. Und die Tiere kamen auch und beweinten Schneewittchen, erst eine Eule, dann ein Rabe, zuletzt ein Täubchen.

Nun lag Schneewittchen lange, lange Zeit in dem Sarg und verweste nicht, sondern sah aus, als wenn es schliefe, denn es war noch so weiß als Schnee, so rot als Blut und so schwarzhaarig wie Ebenholz. Es geschah aber, dass ein Königssohn in den Wald geriet und zu dem Zwergenhaus kam, da zu übernachten. Er sah auf dem Berg den Sarg und das schöne Schneewittchen darin und las, was mit goldenen Buchstaben darauf geschrieben war. Da sprach er zu den Zwergen: „Lasst mir den Sarg, ich will euch geben, was ihr dafür haben wollt." Aber die Zwerge antworteten: „Wir geben ihn nicht um alles Gold in der Welt." Da sprach er: „So schenkt mir ihn, denn ich kann nicht leben ohne Schneewittchen zu sehen. Ich will es ehren und hochachten wie mein Liebstes." Wie er so sprach, empfanden die guten Zwerglein Mitleid mit ihm und gaben ihm den Sarg. Der Königssohn ließ ihn nun von seinen Dienern auf den Schultern forttragen. Da geschah es, dass sie über einen Strauch stolperten, und von dem Schüttern fuhr der giftige Apfelgrütz, den Schneewittchen abgebissen hatte, aus dem Hals. Und nicht lange, so öffnete es die Augen, hob den Deckel vom Sarg in die Höhe und richtete sich auf und war wieder lebendig. „Ach Gott, wo bin ich?", rief es. Der Königssohn sagte voll Freude: „Du bist bei mir!" Er erzählte ihr, was sich zugetragen hatte und sprach: „Ich habe dich lieber als alles auf der Welt; komm mit mir in meines Vaters Schloss, du sollst meine Gemahlin werden." Da war ihm Schneewittchen gut und ging mit ihm, und ihre Hochzeit ward mit großer Pracht und Herrlichkeit angeordnet.

Zu dem Fest wurde aber auch Schneewittchens gottlose Stiefmutter eingeladen. Wie sie sich nun mit schönen Kleidern angetan hatte, trat sie vor den Spiegel und sprach: **„Spieglein, Spieglein an der Wand, wer ist die Schönste im ganzen Land?"** Der Spiegel antwortete: **„Frau Königin, Ihr seid die Schönste hier, aber die junge**

Königin ist tausendmal schöner als Ihr." Da stieß das
böse Weib einen Fluch aus, und ward ihr so angst, so
angst, dass sie sich nicht zu lassen wusste. Sie wollte
zuerst gar nicht auf die Hochzeit kommen; doch es ließ
ihr keine Ruhe, sie musste fort und die junge Königin
sehen. Und wie sie hineintrat, erkannte sie Schneewittchen, und vor Angst und Schrecken stand sie da und
konnte sich nicht regen. Aber es waren schon eiserne

Pantoffeln über Kohlenfeuer gestellt und wurden mit
Zangen hereingetragen und vor sie hingestellt.
Da musste sie in die rotglühenden Schuhe treten und so
lange tanzen, bis sie tot
zur Erde fiel.

Der Wolf
und die sieben jungen Geißlein

Es war einmal eine alte Geiß, die hatte sieben junge Geißlein und hatte sie lieb, wie eine Mutter ihre Kinder lieb hat. Eines Tages wollte sie in den Wald gehen und Futter holen, da rief sie alle sieben herbei und sprach: „Liebe Kinder, ich will hinaus in den Wald. Seid auf der Hut vor dem Wolf! Wenn er hereinkommt, frisst er euch alle mit Haut und Haar. Der Bösewicht verstellt sich oft, aber an der rauen Stimme und an seinen schwarzen Füßen werdet ihr ihn schon erkennen." Die Geißlein sagten: „Liebe Mutter, wir wollen uns schon in Acht nehmen, du kannst ohne Sorge fortgehen." Da meckerte die Alte und machte sich getrost auf den Weg.

Es dauerte nicht lange, so klopfte jemand an die Haustür und rief: „Macht auf, ihr lieben Kinder, eure Mutter ist da und hat jedem von euch etwas mitgebracht!" Aber die Geißlein hörten an der rauen Stimme, dass es der Wolf war. „Wir machen nicht auf", riefen sie, „du bist unsere Mutter nicht, die hat eine feine und liebliche Stimme; aber deine Stimme ist rau, du bist der Wolf!" Da ging der Wolf fort zu einem Krämer und kaufte ein großes Stück Kreide. Die aß er und machte damit seine Stimme fein. Dann kam er zurück, klopfte an die Haustür und rief: „Macht auf, ihr lieben Kinder, eure Mutter ist da und hat jedem von euch etwas mitgebracht." Aber der Wolf hatte seine schwarze Pfote in das Fenster gelegt. Das sahen die Kinder und riefen: „Wir machen

nicht auf. Unsere Mutter hat keinen schwarzen Fuß wie du; du bist der Wolf." Da lief der Wolf zu einem Bäcker und sprach: „Ich habe mich am Fuß gestoßen, streich mir Teig darüber!" Und als ihm der Bäcker die Pfote bestrichen hatte, lief er zum Müller und sprach: „Streu mir weißes Mehl auf meine Pfote!" Der Müller dachte, der Wolf will einen betrügen, und weigerte sich. Aber der Wolf sprach: „Wenn du es nicht tust, so fresse ich dich!" Da fürchtete sich der Müller und machte ihm die Pfote weiß. Ja, so sind die Menschen. Nun ging der Bösewicht zum dritten Mal zu der Haustür, klopfte an und sprach: „Macht mir auf, Kinder, euer liebes Mütterchen ist heimgekommen und hat jedem von euch etwas aus dem Walde mitgebracht." Die Geißerchen riefen: „Zeig uns erst deine Pfote, damit wir wissen, dass du unser liebes Mütterchen bist." Da legte er die Pfote ins Fenster, und als sie sahen, dass sie weiß war, glaubten sie, es wäre alles wahr, was er sagte und machten die Tür auf. Wer aber hereinkam, das war der Wolf. Sie erschraken und wollten sich verstecken. Das eine sprang unter den Tisch, das zweite ins Bett, das dritte in den Ofen, das vierte in die Küche, das fünfte in den Schrank, das sechste unter die Waschschüssel, das siebente in den Kasten der Wanduhr. Aber der Wolf fand sie alle und machte nicht langes Federlesen; eins nach dem anderen schluckte er in seinen Rachen; nur das jüngste in dem Uhrenkasten, das fand er nicht. Als der Wolf seine Lust gebüßt hatte, trollte er sich fort, legte sich draußen auf der grünen Wiese unter einen Baum und fing an zu schlafen.

Nicht lange danach kam die alte Geiß aus dem Walde wieder heim. Ach, was musste sie da erblicken! Die Haustür stand sperrweit auf: Tisch, Stühle und Bänke waren umgeworfen, die Waschschüssel lag in Scherben, Decke und Kissen waren aus dem Bette gezogen. Sie suchte ihre Kinder, aber nirgends waren sie zu finden. Sie rief sie nacheinander bei Namen, aber niemand antwortete. Endlich als sie an das jüngste kam, da rief eine feine Stimme: „Liebe Mutter, ich stecke im Uhrenkasten!" Sie holte es heraus, und es erzählte ihr, dass der Wolf gekommen wäre und die anderen gefressen hätte. Da könnt ihr denken, wie sie über ihre armen Kinder geweint hat.

Endlich ging sie in ihrem Jammer hinaus, und das jüngste Geißlein lief mit. Als sie auf die Wiese kam, so lag da der Wolf an dem Baume und schnarchte, dass die Äste zitterten. Sie betrachtete ihn von allen Seiten und sah, dass sich in seinem angefüllten Bauch etwas regte und zappelte. Ach Gott, dachte sie, sollten meine armen Kinder, die er zum Abendbrot hinuntergewürgt hat, noch am Leben sein? Da musste das Geißlein nach Hause laufen und Schere, Nadel und Zwirn holen. Dann schnitt sie dem Ungetüm den Wanst auf, und kaum hatte sie einen Schnitt getan, so streckte schon ein Geißlein den Kopf heraus. Und als sie weiter schnitt, sprangen alle sechse heraus und waren noch alle am Leben und hatten nicht einmal Schaden gelitten, denn das Ungetüm hatte sie in der Gier ganz hinuntergeschluckt. Das war eine Freude! Da herzten sie ihre liebe Mutter und hüpften wie ein Schneider der Hochzeit hält. Die Alte aber sagte: „Jetzt geht und sucht Wackersteine (Feldsteine)! Damit wollen wir dem gottlosen Tier den Bauch füllen, solange es noch im Schlafe liegt." Da schleppten die sieben Geißlein in aller Eile die Steine herbei und steckten sie ihm in den Bauch, soviel sie hineinbringen konnten. Dann nähte ihn die Alte in aller Geschwindigkeit wieder zu, dass er nichts merkte und sich nicht einmal regte.

Als der Wolf endlich ausgeschlafen hatte, machte er sich auf die Beine und weil ihm die Steine im Magen so großen Durst erregten, wollte er zu einem Brunnen und trinken. Als er anfing zu gehen und sich hin und her zu bewegen, stießen die Steine in seinem Bauch aneinander und rappelten. Da rief er: „Was rumpelt und pumpelt in meinem Bauch herum? Ich meinte, es wären sechs Geißlein, so sind's lauter Wackerstein'!"
Und als er an den Brunnen kam und sich über das Wasser bückte und trinken wollte, da zogen ihn die schweren Steine hinein und er musste jämmerlich ersaufen. Als die sieben Geißlein das sahen, kamen sie herbeigelaufen, riefen laut: „Der Wolf ist tot! Der Wolf ist tot!", und tanzten mit ihrer Mutter vor Freude um den Brunnen herum.

Des Kaisers neue Kleider

Vor vielen Jahren lebte ein Kaiser, der so ungeheuer viel auf neue Kleider hielt, dass er all sein Geld dafür ausgab, um recht geputzt zu sein. Er kümmerte sich nicht um seine Soldaten, kümmerte sich nicht um Theater und liebte es nicht in den Wald zu fahren, außer, um seine neuen Kleider zu zeigen. Er hatte einen Rock für jede Stunde des

Tages, und ebenso, wie man von einem König sagte, er ist im Rat, so sagte man hier immer: "Der Kaiser ist in der Garderobe!"

In der großen Stadt, in der er wohnte, ging es sehr munter her. An jedem Tag kamen viele Fremde an. Eines Tages kamen auch zwei Betrüger, die gaben sich für Weber aus und sagten, dass sie das schönste Zeug, was man sich denken könne, zu weben verstanden. Die Farben und das Muster seien nicht allein ungewöhnlich schön, sondern die Kleider, die von dem Zeuge genäht würden, sollten die wunderbare Eigenschaft besitzen, dass sie für jeden Menschen unsichtbar seien, der nicht für sein Amt tauge oder der unverzeihlich dumm sei. Das wären ja prächtige Kleider, dachte der Kaiser; wenn ich solche hätte, könnte ich ja dahinterkommen, welche Männer in meinem Reiche zu dem Amte, das sie haben, nicht taugen; ich könnte die Klugen von den Dummen unterscheiden! Ja, das Zeug muss sogleich für mich gewebt werden! Er gab den beiden Betrügern viel Handgeld, damit sie ihre Arbeit beginnen sollten. Sie stellten auch zwei Webstühle auf, taten, als ob sie arbeiteten, aber sie hatten nicht das Geringste auf dem Stuhle. Trotzdem verlangten sie die feinste Seide und das prächtigste Gold. Das steckten sie aber in ihre eigene Tasche und arbeiteten an den leeren Stühlen bis spät in die Nacht hinein. Nun möchte ich doch wissen, wie weit sie mit dem Zeuge sind, dachte der Kaiser. Aber es war ihm beklommen zumute, wenn er daran dachte, dass keiner, der dumm sei oder schlecht zu seinem Amte tauge, es sehen könne. Er glaubte zwar, dass er für sich selbst nichts zu fürchten brauche, aber er wollte doch

erst einen andern senden, um zu sehen, wie es damit
stehe. Alle Menschen in der ganzen Stadt wussten, welche
besondere Kraft das Zeug habe, und alle waren begierig zu
sehen, wie schlecht oder dumm ihr Nachbar sei. Ich will
meinen alten, ehrlichen Minister zu den Webern senden,
dachte der Kaiser, er kann am besten beurteilen, wie der
Stoff sich ausnimmt, denn er hat Verstand, und keiner ver-
sieht sein Amt besser als er! Nun ging der alte, gute
Minister in den Saal hinein, wo die zwei Betrüger saßen
und an den leeren Webstühlen arbeiteten. Gott behüte
uns! dachte der alte Minister und riss die Augen auf, iIch
kann ja nichts erblicken! Aber das sagte er nicht.
Beide Betrüger baten ihn näher zu treten und fragten, ob
es nicht ein hübsches Muster und schöne Farben seien.
Dann zeigten sie auf den leeren Stuhl, und der arme, alte
Minister fuhr fort die Augen aufzureißen, aber er konnte
nichts sehen, denn es war nichts da. Herr Gott! dachte er,
sollte ich dumm sein? Das habe ich nie geglaubt, und das
darf kein Mensch wissen! Sollte ich nicht zu meinem Amte
taugen? Nein, es geht nicht an, dass ich erzähle, ich könne
das Zeug nicht sehen! „Nun, Sie sagen nichts dazu?",
fragte der eine von den Webern. „Oh, es ist niedlich, ganz
allerliebst!", antwortete der alte Minister und sah durch
seine Brille. „Dieses Muster und diese Farben!
Oh ja, ich werde dem Kaiser sagen, dass es mir sehr
gefällt!" „Nun, das freut uns!", sagten beide Weber, und
darauf benannten sie die Farben mit Namen und erklärten
das seltsame Muster. Der alte Minister merkte gut auf,
damit er dasselbe sagen könne, wenn er zum Kaiser
zurückkomme, und das tat er auch. Nun verlangten die
Betrüger mehr Geld, mehr Seide und mehr Gold zum

Weben. Sie steckten alles in ihre eigenen Taschen. Auf den Webstuhl kam kein Faden, aber sie fuhren fort, wie bisher an den leeren Stühlen zu arbeiten. Der Kaiser sandte bald wieder einen anderen tüchtigen Staatsmann hin, um zu sehen, wie es mit

dem Weben stehe und ob das Zeug bald fertig sei; es ging ihm aber gerade wie dem ersten, er guckte und guckte; weil aber außer dem Webstuhl nichts da war, so konnte er nichts sehen. „Ist das nicht ein ganz besonders prächtiges und hübsches Stück Zeug?", fragten die beiden Betrüger und zeigten und erklärten das prächtige Muster, das gar nicht da war. Dumm bin ich nicht, dachte der Mann, es ist also mein gutes Amt, zu dem ich nicht tauge! Das wäre seltsam genug, aber das muss man sich nicht merken lassen! Daher lobte er das Zeug, das er nicht sah, und versicherte ihnen seine Freude über die schönen Farben und das herrliche Muster. „Ja, es ist ganz allerliebst!", sagte er zum Kaiser.

Alle Menschen in der Stadt sprachen von dem prächtigen Zeuge. Nun wollte der Kaiser es selbst sehen, während es noch auf dem Webstuhl sei. Mit einer ganzen Schar auserwählter Männer, unter denen auch die beiden ehrlichen Staatsmänner waren, die schon früher dagewesen, ging er zu den beiden listigen Betrügern hin, die nun aus allen Kräften webten, aber ohne Faser oder Faden. „Ja, ist das nicht prächtig?", sagten die beiden ehrlichen Staatsmänner. „Wollen Eure Majestät sehen, welches Muster, welche Farben?" Und dann zeigten sie auf den leeren Webstuhl, denn sie glaubten, dass die andern das Zeug wohl sehen könnten. Was! dachte der Kaiser, ich sehe gar nichts! Das ist ja erschrecklich! Bin ich dumm? Tauge ich nicht dazu, Kaiser zu sein? Das wäre das Schrecklichste, was mir begegnen könnte. „Oh, es ist sehr hübsch", sagte er", „es hat meinen allerhöchsten Beifall!" Und er nickte zufrieden und betrachtete

den leeren Webstuhl; er wollte nicht sagen, dass er nichts sehen könne. Das ganze Gefolge, was er mit sich hatte, sah und sah, aber es bekam nicht mehr heraus als alle die andern. Aber sie sagten gleich wie der Kaiser: „Oh, das ist hübsch!", und sie rieten ihm, diese neuen prächtigen Kleider das erste Mal bei dem großen Feste, das bevorstand, zu tragen. „Es ist herrlich, niedlich, ausgezeichnet!", ging es von Mund zu Mund, und man schien allerseits innig erfreut darüber. Der Kaiser verlieh jedem der Betrüger ein Ritterkreuz, um es in das Knopfloch zu hängen, und den Titel „Hofweber". Die ganze Nacht vor dem Morgen, an dem das Fest stattfinden sollte, waren die Betrüger auf und hatten sechzehn Lichte angezündet, damit man sie auch recht gut bei ihrer Arbeit beobachten konnte. Die Leute konnten sehen, dass sie stark beschäftigt waren des Kaisers neue Kleider fertig zu machen. Sie taten, als ob sie das Zeug aus dem Webstuhl nähmen, sie schnitten in die Luft mit großen Scheren, sie nähten mit Nähnadeln ohne Faden und sagten zuletzt: „Sieh, nun sind die Kleider fertig!"

Der Kaiser mit seinen vornehmsten Beamten kam selbst, und beide Betrüger hoben den einen Arm in die Höhe, gerade, als ob sie etwas hielten, und sagten: „Seht, hier sind die Beinkleider, hier ist das Kleid, hier ist der Mantel!", und so weiter. „Es ist so leicht wie Spinnwebe; man sollte glauben, man habe nichts auf dem Körper, aber das ist gerade die Schönheit dabei!" „Ja!", sagten alle Beamten, aber sie konnten nichts sehen, denn es war nichts da. „Belieben Eure Kaiserliche Majestät Ihre Kleider abzulegen", sagten die Betrüger, „so wollen wir Ihnen die neuen hier vor dem großen Spiegel anziehen!" Der Kaiser legte seine Kleider ab und die Betrüger stellten sich, als ob sie ihm ein jedes Stück der neuen Kleider anzogen, die fertig genäht sein sollten. Und der Kaiser wendete und drehte sich vor dem Spiegel. „Ei, wie gut sie kleiden, wie herrlich sie sitzen!", sagten alle. „Welches Muster, welche Farben! Das ist ein kostbarer Anzug!" „Draußen stehen sie mit dem Thronhimmel, der über Eurer Majestät getragen werden soll!", meldete der Oberzeremonienmeister. „Seht, ich bin ja fertig!", sagte der Kaiser. „Sitzt es nicht gut?" Und dann wendete er sich nochmals zu dem Spiegel, denn es sollte scheinen, als ob er seine Kleider recht betrachte.

Die Kammerherren, die das Recht hatten die Schleppe zu tragen, griffen mit den Händen gegen den Fußboden, als ob sie die Schleppe aufhöben. Sie gingen und taten, als hielten sie etwas in der Luft; sie wagten es nicht, es

sich merken zu lassen, dass sie nichts sehen konnten. So ging der Kaiser unter dem prächtigen Thronhimmel, und alle Menschen auf der Straße und in den Fenstern sprachen: „Wie sind des Kaisers neue Kleider unvergleichlich! Welche Schleppe er am Kleide hat! Wie schön sie sitzt!" Keiner wollte es sich merken lassen, dass er nichts sah, denn dann hätte er ja nicht zu seinem Amte getaugt oder wäre sehr dumm gewesen. Keine Kleider des Kaisers hatten solches Glück gemacht wie diese. **„Aber er hat ja gar nichts an!"**, sagte endlich ein kleines Kind. „Hört die Stimme der Unschuld!", sagte der Vater; und der eine zischelte dem andern zu, was das Kind gesagt hatte. **„Aber er hat ja gar nichts an!"**, rief zuletzt das ganze Volk. Das ergriff den Kaiser, denn das Volk schien ihm Recht zu haben, aber er dachte bei sich: „Nun muss ich aushalten!" Und die Kammerherren gingen und trugen die Schleppe, die gar nicht da war.

Rapunzel

Es waren einmal ein Mann und eine Frau, die wünschten sich schon lange vergeblich ein Kind; endlich machte sich die Frau Hoffnung, der liebe Gott werde ihren Wunsch erfüllen. Die Leute hatten in ihrem Hinterhaus ein kleines Fenster, daraus konnte man in einen prächtigen Garten sehen, der voll der schönsten Blumen und Kräuter stand; er war aber von einer hohen Mauer umgeben, und niemand wagte hineinzugehen, weil er einer Zauberin gehörte, die große Macht hatte und von aller Welt gefürchtet wurde. Eines Tages stand die Frau an diesem Fenster und sah in den Garten hinab. Da erblickte sie ein Beet, das mit den schönsten Rapunzeln (Feldsalat) bepflanzt war, und sie sahen so frisch und grün aus, dass sie lüstern ward und das große Verlangen empfand, von den Rapunzeln zu essen. Das Verlangen nahm jeden Tag zu, und da sie wusste, dass sie keine davon bekommen konnte, fiel sie ganz ab, sah blass und elend aus. Da erschrak der Mann und fragte: „Was fehlt dir, liebe

Frau?" „Ach!", antwortete sie, „wenn ich keine
Rapunzeln aus dem Garten hinter unserem Haus zu essen
kriege, so sterbe ich." Der Mann, der sie lieb hatte, dachte:
Eh' du deine Frau sterben lässest, holst du ihr von den
Rapunzeln, es mag kosten, was es will. In der Abenddämmerung stieg er also über die Mauer in den Garten der
Zauberin, stach in aller Eile eine Hand voll Rapunzeln und
brachte sie seiner Frau. Sie machte sich sogleich Salat
daraus und aß ihn in vollem Heißhunger auf. Er hatte ihr
aber so gut, so gut geschmeckt, dass sie den andern Tag
noch dreimal so viel Lust bekam. Sollte sie Ruhe haben,
so musste der Mann noch einmal in den Garten steigen.
Er machte sich also in der Abenddämmerung wieder
hinab; als er aber die Mauer hinabgeklettert war, erschrak
er gewaltig, denn er sah die Zauberin vor sich stehen.

„Wie kannst du es wagen", sagte sie mit zornigem Blick, „in meinen Garten zu steigen und mir wie ein Dieb meine Rapunzeln zu stehlen? Das soll dir schlecht bekommen!" „Ach!", antwortete er, „lasst Gnade vor Recht ergehen, ich habe mich nur aus Not dazu entschlossen; meine Frau hat eure Rapunzeln aus dem Fenster erblickt und empfindet ein so großes Gelüste, dass sie sterben würde, wenn sie nicht davon zu essen bekäme." Da ließ die Zauberin in ihrem Zorne nach und sprach zu ihm: „Verhält es sich so, wie du sagst, so will ich dir gestatten, Rapunzeln mitzunehmen, soviel du willst, allein ich mache eine Bedingung: Du musst mir das Kind geben, das euch der liebe Gott schenken wird; es soll ihm gut gehen, und ich will für es sorgen wie eine Mutter." Der Mann sagte in der Angst alles zu, und als das Kind zur Welt kam, erschien sogleich die Zauberin, gab dem Kinde den Namen Rapunzel und nahm es mit sich fort.

Rapunzel ward das schönste Kind unter der Sonne. Als es zwölf Jahre alt war, schloss es die Zauberin in einen Turm, der in einem Walde lag und weder Treppe noch Tür hatte, nur ganz oben war ein kleines Fensterchen. Wenn die Zauberin hinein wollte, stellte sie sich unten hin und rief: **„Rapunzel, Rapunzel, lass mir dein Haar herunter!"** Rapunzel hatte lange, prächtige Haare, fein wie gesponnenes Gold. Wenn sie nun die Stimme der Zauberin vernahm, band sie ihre Zöpfe los, wickelte sie oben um einen Fensterhaken und dann fielen die Haare zwanzig Ellen tief herunter, und die Zauberin stieg daran hinauf. Nach ein paar Jahren trug es sich zu, dass der Sohn des Königs durch den Wald ritt und an dem Turm vorüberkam. Da hörte er einen Gesang, der war so lieblich, dass er still

hielt und horchte. Das war Rapunzel, die sich in ihrer Einsamkeit die Zeit damit vertrieb, ihre süße Stimme erschallen zu lassen. Der Königssohn wollte zu ihr hinaufsteigen und suchte nach einer Tür des Turmes, aber es war keine zu finden. Er ritt heim, doch der Gesang hatte ihm so sehr das Herz gerührt, dass er jeden Tag hinaus in den Wald ging und zuhörte. Als er einmal so hinter einem Baume stand, sah er, dass eine Zauberin herankam und hörte, wie sie hinaufrief: **„Rapunzel, Rapunzel, lass mir dein Haar herunter!"** Da ließ Rapunzel die Haarflechten herab und die Zauberin stieg zu ihr hinauf. Der Königssohn dachte: Ist das die Leiter, auf der man hinauf kommt, so will ich auch einmal mein Glück versuchen. Und den folgenden Tag, als es anfing dunkel zu werden, ging er zu dem Turme und rief: **„Rapunzel, Rapunzel, lass mir dein Haar herunter!"** Alsbald fielen die Haare herab und der Königssohn stieg hinauf.

Anfangs erschrak Rapunzel gewaltig, als ein Mann zu ihr hereinkam, wie ihre Augen noch nie einen erblickt hatten; doch der Königssohn fing an, ganz freundlich mit ihr zu reden und erzählte ihr, dass von ihrem Gesang sein Herz so sehr bewegt worden sei, dass es ihm keine Ruhe gelassen habe und er sie selbst habe sehen müssen. Da verlor Rapunzel ihre Angst, und als er sie fragte, ob sie ihn zum Manne nehmen wollte, und sie sah, dass er jung und schön war, so dachte sie, der wird mich lieber haben als die alte Frau Patin, und sagte „Ja" und legte ihre Hand in seine Hand. Sie sprach: „Ich will gern mit dir geh'n, aber ich weiß nicht wie ich hinabkomme. Wenn du kommst, so bring jedes Mal einen Strang Seide mit, daraus will ich eine Leiter flechten, und wenn die fertig ist, so steige ich

hinunter und du nimmst mich auf dein Pferd." Sie verab-
redeten, dass er bis dahin alle Abende zu ihr kommen sollte, denn bei Tag kam die Alte. Die Zauberin merkte auch
nichts davon, bis einmal Rapunzel anfing und zu ihr sagte:
„Sag Sie mir doch, Frau Patin, wie kommt es nur, Sie wird
mir viel schwerer heraufzuziehen, als der junge Königssohn. Der ist in einem Augenblick bei mir." „Ach, du gott-
loses Kind", rief die Zauberin, „was muss ich von dir
hören! Ich dachte, ich hätte dich von aller Welt geschie-
den, und du hast mich doch betrogen!" In ihrem Zorne
packte sie die schönen Haare der Rapunzel, schlug sie ein

paarmal um ihre linke Hand, ergriff eine Schere mit der rechten, und ritsch ratsch waren sie abgeschnitten und die schönen Flechten lagen auf der Erde. Und sie war so unbarmherzig, dass sie die arme Rapunzel in eine Wüstenei brachte, wo sie in großem Jammer und Elend leben musste.

Den selben Tag aber, wo sie Rapunzel verstoßen hatte, machte abends die Zauberin die abgeschnittenen Flechten oben am Fensterhaken fest, und als der Königssohn kam und rief: **„Rapunzel, Rapunzel, lass mir dein Haar herunter!"**, da ließ sie die Haare hinab. Der Königssohn stieg hinauf; aber er fand oben nicht seine liebste Rapunzel, sondern die Zauberin, die ihn mit bösen und giftigen Blicken ansah. „Aha", rief sie höhnisch, „du willst die Frau Liebste holen? Aber der schöne Vogel sitzt nicht mehr im Nest und singt nicht mehr, die Katze hat ihn geholt und wird dir auch noch die Augen auskratzen. Für dich ist Rapunzel verloren, du wirst sie nie wieder erblicken." Da geriet der Königssohn außer sich vor Schmerz und in der Verzweiflung sprang er vom Turm herab. Das Leben brachte er davon, aber die Dornen, in die er fiel, zerstachen ihm die Augen.

Nun irrte er blind im Walde umher, aß nichts als Wurzeln und Beeren, und tat nichts als jammern und weinen über den Verlust seiner liebsten Frau. So wanderte er einige Jahre im Elend umher und geriet endlich in die Wüstenei, wo Rapunzel mit den Zwillingen, die sie geboren hatte, einem Knaben und einem Mädchen, kümmerlich lebte. Er vernahm eine Stimme und sie deuchte ihm so bekannt. Da ging er darauf zu, und wie er hinkam, erkannte ihn Rapunzel, fiel ihm um den Hals und weinte. Zwei von ihren Tränen aber benetzten seine Augen. Da wurden sie wieder klar und er konnte damit sehen wie sonst. Er führte sie heim in sein Reich, wo er mit Freude empfangen ward, und sie lebten noch lange glücklich und vergnügt.

Rotkäppchen

Es war einmal eine kleine, süße Dirne, die hatte jedermann lieb, der sie nur ansah, am allerliebsten aber ihre Groß- mutter; die wusste gar nicht, was sie alles dem Kinde geben sollte. Einmal schenkte sie ihm ein Käppchen von rotem Sammet, und weil ihm das so wohl stand und es nichts anderes mehr tragen wollte, hieß es nur das Rotkäppchen. Eines Tages sprach seine Mutter zu ihm: „Komm, Rotkäppchen. Da hast du ein Stück Kuchen und eine Flasche Wein, bring das der Großmutter hinaus! Sie ist krank und schwach und wird sich daran laben. Mach dich auf, bevor es heiß wird, und wenn du hinauskommst, so geh hübsch sittsam und lauf nicht vom Wege ab, sonst fällst du und zerbrichst das Glas und die Großmutter hat nichts. Und wenn du in ihre Stube kommst, so vergiss nicht Guten Morgen zu sagen, und guck nicht erst in allen Ecken 'rum!" „Ich will schon alles gut machen", sagte Rotkäppchen zur Mutter und gab ihr die Hand darauf. Die Großmutter aber wohnte draußen im Wald, eine halbe Stunde vom Dorf. Wie nun Rotkäppchen in den Wald kam, begegnete ihm der Wolf. Rotkäppchen aber wusste nicht, was das für ein böses Tier war, und

fürchtete sich nicht vor ihm. „Guten Tag, Rotkäppchen",
sprach er. „Schönen Dank, Wolf." „Wohin so früh,
Rotkäppchen?" „Zur Großmutter."
„Was trägst du unter der Schürze?" „Kuchen
und Wein; gestern haben wir gebacken, da
soll sich die kranke und schwache
Großmutter etwas zugute tun und sich
damit stärken." „Rotkäppchen, wo
wohnt deine Großmutter?"
„Noch eine gute Viertelstunde
weiter im Walde, unter den drei

großen Eichbäumen, da steht ihr Haus. Unten sind die Nusshecken, das wirst du ja wissen", sagte Rotkäppchen. Der Wolf dachte bei sich: Das junge, zarte Ding, das ist ein fetter Bissen, der wird noch besser schmecken als die Alte; du musst es listig anfangen, damit du beide erschnappst.

Da ging er ein Weilchen neben Rotkäppchen her, dann sprach er: „Rotkäppchen, sieh einmal die schönen Blumen, die rings umher stehen, warum guckst du dich

nicht um? Ich glaube, du hörst gar nicht, wie die Vöglein so lieblich singen. Du gehst ja für dich hin, als wenn du zur Schule gingst, und dabei ist es so lustig hier draußen in dem Wald."

Rotkäppchen schlug die Augen auf, und als es sah, wie die Sonnenstrahlen durch die Bäume hin und her tanzten und alles voll schöner Blumen stand, dachte es: Wenn ich der Großmutter einen frischen Strauß mitbringe, der wird ihr auch Freude machen; es ist so früh am Tag, dass ich doch

zu rechter Zeit ankomme. Rotkäppchen lief vom Wege ab
in den Wald hinein und suchte Blumen. Und wenn es eine
gebrochen hatte, meinte es, weiter hinaus stünde eine
schönere, und lief danach und geriet immer tiefer in den
Wald hinein. Der Wolf aber ging geradewegs nach dem
Haus der Großmutter und klopfte an die Tür. „Wer ist
draußen?" „Rotkäppchen, das bringt Kuchen und Wein,
mach auf." „Drück nur auf die Klinke", rief die
Großmutter. „Ich bin zu schwach und kann nicht aufstehen." Der Wolf drückte auf die Klinke, die Tür sprang auf,
und er ging ohne ein Wort zu sprechen gerade zum Bett
der Großmutter und verschluckte sie. Dann zog er ihre
Kleider an, setzte ihre Haube auf, legte sich in ihr Bett
und zog die Vorhänge vor.

Rotkäppchen aber war nach den Blumen herumge-
laufen, und als es so viele zusammenhatte, dass es keine
mehr tragen konnte, fiel ihm die Großmutter wieder ein,
und es machte sich auf den Weg zu ihr. Es wunderte sich,
dass die Tür offen stand, und wie es in die Stube trat, kam
es ihm so seltsam darin vor, dass es dachte: Ei, du mein
Gott, wie ängstlich wird mir's heute zumute, und bin sonst
so gern bei der Großmutter! Es rief: „Guten Morgen!",
bekam aber keine Antwort. Darauf ging es zum Bett und
zog die Vorhänge zurück; da lag die Großmutter und hatte
die Haube tief ins Gesicht gesetzt und sah so wunderlich
aus. „Ei, Großmutter, was hast du für große Ohren?"
„Dass ich dich besser hören kann!" „Ei, Großmutter, was
hast du für große Augen?" **„Dass ich dich besser sehen
kann!"** „Ei, Großmutter, was hast du für große Hände?"
„Dass ich dich besser packen kann." „Aber,
Großmutter, was hast du für ein entsetz-
lich großes Maul?" **„Dass ich dich besser fressen kann."** Kaum hatte der
Wolf das gesagt, so tat er einen
Satz aus dem Bette und
verschlang das arme
Rotkäppchen.

Als der Wolf seine
Gelüste gestillt hatte,
legte er sich wieder ins
Bett, schlief ein und fing an,
überlaut zu schnarchen. Der Jäger
ging eben an dem Hause vorbei
und dachte: Wie die alte Frau
schnarcht! Du musst doch sehen,

ob ihr etwas fehlt. Da trat er in die Stube, und wie er vor das Bett kam, sah er, dass der Wolf darin lag. „Finde ich dich hier, du alter Sünder!", sagte er. „Ich habe dich lange gesucht." Nun wollte er seine Büchse anlegen, da fiel ihm ein, der Wolf könnte die Großmutter gefressen haben und sie wäre noch zu retten. Deshalb schoss er nicht, sondern nahm eine Schere, um dem schlafenden Wolf den Bauch aufzu-schneiden. Wie er ein paar Schnitte getan hatte, da sah er das rote Käppchen leuchten, und noch ein paar Schnitte, da sprang das Mädchen heraus und rief: „Ach, wie war ich erschrocken, wie war's so dunkel in dem Wolf seinem Leib!" Und dann kam die alte Großmutter auch noch lebendig heraus und konnte kaum atmen. Rotkäppchen aber holte geschwind große Steine, damit füllten sie dem Wolf den Leib, und wie er aufwachte, wollte er fortsprin-gen, aber die Steine waren so schwer, dass er gleich niedersank und tot umfiel.

Da waren alle drei vergnügt. Der Jäger zog dem Wolf den Pelz ab und ging damit heim. Die Großmutter aß den

Kuchen und trank den Wein, den Rotkäppchen gebracht hatte, und erholte sich wieder. Rotkäppchen aber dachte: Du willst dein Lebtag nicht wieder allein vom Wege ab in den Wald laufen, wenn dir's die Mutter verboten hat!

Dornröschen

Vor Zeiten war ein König und eine Königin, die sprachen jeden Tag: „Ach, wenn wir doch ein Kind hätten!", und kriegten immer keins. Da trug sich zu, als die Königin einmal im Bade saß, dass ein Frosch aus dem Wasser ans Land kroch und zu ihr sprach: „Dein Wunsch wird erfüllt werden. Ehe das Jahr vergeht, wirst du eine Tochter bekommen." Was der Frosch gesagt hatte, das geschah, und die Königin bekam ein Mädchen. Das war so schön, dass sich der König vor Freude nicht zu lassen wusste und ein großes Fest anstellte. Er lud nicht bloß seine Verwandten, Freunde und Bekannten, sondern auch die

weisen Frauen dazu ein,
damit sie dem Kinde hold
und gewogen waren. Es
waren ihrer dreizehn in seinem Reiche; weil er aber
nur zwölf goldene Teller
hatte, von welchen sie
essen sollten, so musste eine
von ihnen daheim
bleiben. Das Fest ward mit aller
Pracht gefeiert, und als es zu Ende
war, beschenkten die weisen Frauen
das Kind mit ihren Wundergaben; die eine mit Tugend, die
andere mit Schönheit, die dritte mit Reichtum, und so mit
allem, was auf der Welt zu wünschen ist. Als elf ihre
Sprüche eben getan hatten, trat plötzlich die dreizehnte
herein. Sie wollte sich dafür rächen, dass sie nicht eingeladen war, und ohne jemand zu grüßen oder nur anzusehen,
rief sie mit lauter Stimme: „Die Königstochter soll sich in
ihrem fünfzehnten Jahr an einer Spindel stechen und tot
hinfallen!" Und ohne ein Wort weiter zu sprechen, kehrte
sie sich um und verließ den Saal. Alle waren erschrocken,
da trat die zwölfte hervor, die ihren Wunsch noch übrig
hatte, und weil sie den bösen Spruch nicht aufheben, sondern ihn nur mildern konnte, so sagte sie: „Es soll aber
kein Tod sein, sondern ein hundertjähriger tiefer Schlaf, in
den die Königstochter fällt."

Der König, der sein liebes Kind vor dem Unglück gern
bewahren wollte, ließ den Befehl ausgehen, dass alle
Spindeln im ganzen Königreiche sollten verbrannt werden.
An dem Mädchen aber wurden die Gaben der weisen

Frauen sämtlich erfüllt, denn es war so schön, sittsam, freundlich und verständig, dass es jedermann, der es ansah, lieb haben musste. Es geschah, dass an dem Tage, wo es gerade fünfzehn Jahr' alt wurde, der König und die Königin nicht zu Hause waren, und das Mädchen ganz allein im Schlosse zurückblieb. Da ging es allerorten

herum, besah Stuben und Kammern, wie es Lust hatte, und kam endlich auch an einen alten Turm. Es stieg die enge Wendeltreppe hinauf und gelangte zu einer kleinen Tür. In dem Schlosse steckte ein verrosteter Schlüssel, und als es umdrehte, sprang die Tür auf, und da saß in einem kleinen Stübchen eine alte Frau mit einer Spindel und spann emsig Flachs. „Guten Tag, du altes Mütterlein", sprach die Königstochter, „was machst du da?" „Ich spinne", sagte die Alte und nickte mit dem Kopfe. „Was ist das für ein Ding, das so lustig herumspringt?", fragte das Mädchen, nahm die Spindel und wollte auch spinnen. Kaum hatte sie aber die Spindel angerührt, so ging der Zauberspruch in Erfüllung und sie stach sich damit in den Finger.

In dem Augenblick aber, als sie den Stich empfand, fiel sie auf das Bett nieder, das dastand, und lag in einem tiefen Schlafe. Und dieser Schlaf verbreitete sich über das ganze Schloss: Der König und die Königin, die eben heimgekommen und in den Saal getreten waren, fingen an einzuschlafen, und der ganze Hofstaat mit ihnen. Da schliefen auch die Pferde im Stalle, die Hunde im Hofe, die Tauben auf dem Dache, die Fliegen an der Wand, ja das Feuer, das auf dem Herde flackerte, ward still und schlief ein, und der Braten hörte auf zu brutzeln, und der Koch, der den Küchenjungen, weil er etwas versehen hatte, an den Haaren ziehen wollte, ließ ihn los und schlief. Und der Wind legte sich, und auf den Bäumen vor dem Schlosse regte sich kein Blättchen mehr.

Rings um das Schloss aber begann eine Dornenhecke zu wachsen, die jedes Jahr höher ward und endlich das ganze Schloss umzog, ja darüber hinauswuchs, dass gar nichts mehr davon zu sehen war, selbst nicht die Fahne auf dem Dache. Es ging aber im Lande die Sage von dem schönen schlafenden Dornröschen, denn so wurde die Königstochter genannt, also dass von Zeit zu Zeit Königssöhne kämen und durch die Hecke in das Schloss dringen wollten. Es war ihnen aber nicht möglich, denn die Dornen, als hätten sie Hände, hielten fest zusammen, und die Jünglinge blieben darin hängen, konnten sich nicht wieder losmachen und starben eines jämmerlichen Todes. Nach langen, langen Jahren kam wieder einmal ein Königssohn in das Land und hörte, wie ein alter Mann von der Dornenhecke erzählte. Es sollte ein Schloss dahinter stehen, worin eine wunderschöne Königstochter, Dornröschen genannt, schon seit hundert Jahren schliefe, und mit ihr schliefen der König und die Königin und der ganze Hofstaat. Er wusste auch von seinem Großvater, dass schon viele Königssöhne gekommen wären und versucht hätten, durch die Dornenhecke zu dringen, aber sie wären darin hängen geblieben und eines traurigen Todes gestorben. Da sprach der Jüngling: „Ich fürchte mich nicht, ich will hinaus und das schöne Dornröschen sehen." Der gute Alte mochte ihm abraten, wie er wollte, er hörte nicht auf seine Worte.

Nun waren aber gerade die hundert Jahre verflossen, und der Tag war gekommen, an dem Dornröschen wieder erwachen sollte. Als sich der Königssohn der Dornenhecke näherte, waren es lauter schöne, große Blumen, die taten sich von selbst auseinander und ließen ihn unbeschädigt hindurch, und hinter ihm taten sie sich wieder als eine Hecke zusammen. Im Schlosshof sah er die Pferde und scheckigen Jagdhunde liegen und schlafen. Auf dem Dache

saßen die Tauben und hatten das Köpfchen unter den Flügel gesteckt. Und als er ins Haus kam, schliefen die Fliegen an der Wand, der Koch in der Küche hielt noch die Hand, als wollte er den Jungen anpacken, und die Magd saß vor dem schwarzen Huhn, das gerupft werden sollte. Da ging er weiter und sah im Saale den ganzen Hofstaat liegen und schlafen, und oben bei dem Throne lagen der

König und die Königin. Da ging er noch weiter, und alles war so still, dass einer seinen Atem hören konnte, und endlich kam er zu dem Turme und öffnete die Tür zu der kleinen Stube, worin Dornröschen schlief. Da lag es und war so schön, dass er die Augen nicht abwenden konnte, und er bückte sich und gab ihm einen Kuss. Wie er es mit dem Kusse berührt hatte, schlug Dornröschen die Augen auf, erwachte und blickte ihn ganz freundlich an. Da gingen sie zusammen hinab, und der König erwachte und die Königin und der ganze Hofstaat, und sahen einander mit großen Augen an. Und die Pferde im Hofe standen auf und rüttelten sich, die Jagdhunde sprangen und wedelten, die Tauben auf dem Dache zogen das Köpfchen unterm Flügel hervor, sahen umher und flogen ins Feld, die Fliegen an den Wänden krochen weiter, das Feuer in der Küche erhob sich, flackerte und kochte das Essen, der Braten fing wieder an zu brutzeln, und der Koch gab dem Jungen eine Ohrfeige, dass er schrie, und die Magd rupfte das Huhn fertig. Und nun wurde die Hochzeit des Königssohnes mit dem Dornröschen in aller Pracht gefeiert, und sie lebten vergnügt bis an ihr Ende.

Frau Holle

Eine Witwe hatte zwei Töchter, davon war die eine schön und fleißig, die andere hässlich und faul. Sie hatte aber die hässliche und faule, weil sie ihre rechte Tochter war, viel lieber, und die andere musste alle Arbeit tun und das Aschenputtel im Hause sein. Das arme Mädchen musste sich täglich auf die große Straße bei einem Brunnen setzen und so viel spinnen, dass ihm das Blut aus den Fingern sprang. Nun trug es sich zu, dass die Spule einmal ganz blutig war. Da bückte es sich damit in den Brunnen und wollte sie abwaschen; sie sprang ihm aber aus der Hand und fiel hinab. Es weinte, lief zur Stiefmutter und erzählte ihr das Unglück. Sie schalt es aber so heftig und war so unbarmherzig, dass sie sprach: „Hast du die Spule hinunterfallen lassen, so hol sie auch wieder herauf." Da ging das Mädchen zu dem Brunnen zurück und wusste nicht, was es anfangen sollte, und in seiner Herzensangst sprang es in den Brunnen hinein, um die Spule zu holen. Es verlor die Besinnung, und als es erwachte und wieder zu sich selber kam, war es auf einer schönen Wiese, wo die Sonne schien und vieltausend Blumen standen. Auf dieser Wiese ging es fort und kam zu einem Backofen, der war voller Brot; das Brot aber rief: „Ach, zieh mich raus, zieh mich raus, sonst verbrenn ich. Ich bin schon längst ausgebacken!" Da trat es hinzu und holte mit dem Brotschieber alles nacheinander heraus. Danach ging es weiter und kam zu einem Baume, der hing voll Äpfel und rief ihm zu: „Ach, schüttle mich, schüttle mich, wir Äpfel sind alle miteinander reif!" Da schüttelte es den Baum, dass die Äpfel fielen, als regneten sie, und schüttelte, bis keiner mehr oben war; und als es alle in einen Haufen zusammengelegt hatte, ging es wieder weiter. Endlich kam es zu einem kleinen Hause, daraus guckte eine alte Frau; weil sie aber so große Zähne hatte, ward ihm angst, und es wollte fortlaufen. Die alte Frau aber rief ihm nach: „Was fürchtest du dich, liebes Kind? Bleib bei mir; wenn du alle Arbeit im Hause ordentlich tun willst, soll dir's gut gehen. Du musst nur Acht geben, dass du mein Bett gut machst und es fleißig aufschüttelst, dass die Federn fliegen, dann schneit es in der Welt; ich bin die Frau Holle." Weil die Alte ihm so gut zusprach, fasste sich das Mädchen ein Herz, willigte ein und begab sich in ihren Dienst. Es besorgte auch alles nach ihrer Zufriedenheit und schüttelte ihr das Bett immer auf, dass die Federn wie Schneeflocken umherflogen; dafür hatte es auch ein gutes Leben bei ihr, kein böses Wort und alle Tage Gesottenes und Gebratenes. Nun war es eine Zeitlang bei der Frau Holle, da ward es traurig und wusste es anfangs selbst nicht, was ihm fehlte. Endlich merkte es, dass es Heimweh hatte; ob es ihm hier gleich vieltausendmal besser ging als zu Hause, so hatte es doch ein Verlangen dahin. Endlich sagte es zu ihr: „Ich habe den Jammer nach Hause gekriegt, und wenn es mir auch noch so gut hier unten geht, so kann ich doch nicht länger bleiben, ich muss wieder hinauf zu den Meinigen." Die Frau Holle sagte: „Es gefällt mir, dass du wieder nach Hause verlangst, und weil du mir so treu gedient hast, so will ich dich selbst wieder hinaufbringen." Sie nahm es darauf bei der Hand und führte es vor ein großes Tor. Das Tor ward aufgetan, und wie das Mädchen gerade darunter stand, fiel ein gewaltiger Goldregen, und alles Gold blieb an ihm hängen, so dass es über und über davon bedeckt war. „Das sollst du haben, weil du fleißig gewesen bist", sprach die Frau Holle und gab ihm auch die Spule wieder, die ihm in den Brunnen gefallen war. Darauf wurde das Tor verschlossen und das Mädchen befand sich oben auf der Welt, nicht weit von seiner Mutter Haus; und als es in den Hof kam, saß der Hahn auf dem Brunnen und rief: **„Kikeriki, unsere goldene Jungfrau ist wieder hie!"** Da ging es hinein zu seiner Mutter, und weil es so mit Gold gedeckt ankam, ward es von ihr und der Schwester gut aufgenommen.

Das Mädchen erzählte alles, was ihm begegnet war, und als die Mutter hörte, wie es zu dem großen Reichtum gekommen war, wollte sie der andern hässlichen und faulen Tochter gern dasselbe Glück verschaffen. Sie musste sich an den Brunnen setzen und spinnen; und damit ihre Spule blutig ward, stach sie sich in den Finger und stieß sich die Hand in die Dornenhecke. Dann warf sie die Spule in den Brunnen und

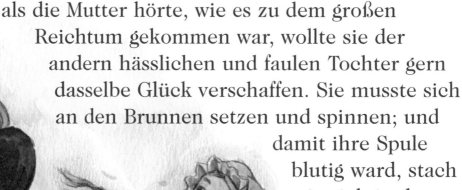

sprang selber hinein. Sie kam, wie die andere, auf die schöne Wiese und ging auf demselben Pfade weiter. Als sie zu dem Backofen gelangte, schrie das Brot: „Ach, zieh mich raus, sonst verbrenn ich. Ich bin schon längst ausgebacken!" Die Faule aber antwortete: „Da hätt ich Lust, mich schmutzig zu machen!", und ging fort. Bald kam sie zu dem Apfelbaum, der rief: "Ach, schüttle mich, schüttle mich, wir Äpfel sind alle miteinander reif!" Sie antwortete aber: „Du kommst mir recht, es könnte mir einer auf den Kopf fallen", und ging damit weiter. Als sie vor der Frau Holle Haus kam, fürchtete sie sich nicht, weil sie von ihren großen Zähnen schon gehört hatte, und verdingte sich gleich zu ihr. Am ersten Tag tat sie sich Gewalt an, war fleißig und folgte der Frau Holle, wenn sie ihr etwas sagte, denn sie dachte an das viele Gold, das sie ihr schenken würde; am zweiten Tag aber fing sie schon an zu faulenzen, am dritten noch mehr, da wollte sie morgens gar nicht aufstehen. Sie machte auch der Frau Holle das Bett nicht, wie sich's gebührte, und schüttelte es nicht, dass die Federn aufflogen. Das ward die Frau Holle bald müde und sagte ihr den Dienst auf. Die Faule war das wohl zufrieden und meinte, nun würde der Goldregen kommen; die Frau Holle führte sie auch zu dem Tor. Als sie aber darunter stand, ward statt des Goldes ein großer Kessel Pech ausgeschüttet. „Das ist zur Belohnung deiner Dienste", sagte die Frau Holle und schloss das Tor zu. Da kam die Faule heim, aber sie war ganz mit Pech bedeckt, und der Hahn auf dem Brunnen, als er sie sah, rief: **„Kikeriki, unsere schmutzige Jungfrau ist wieder hie!"** Das Pech aber blieb fest an ihr hängen und wollte, solange sie lebte nicht abgehen.

Hänsel und Gretel

Vor einem großen Walde wohnte ein armer Holzhacker mit seiner Frau und seinen zwei Kindern: das Bübchen hieß Hänsel und das Mädchen Gretel. Er hatte wenig zu beißen und zu brechen, und einmal, als große Teuerung ins Land kam, konnte er auch das tägliche Brot nicht mehr schaffen. Wie er sich nun abends im Bett Gedanken machte und sich vor Sorgen herumwälzte seufzte er und sprach zu seiner Frau: „Was soll aus uns werden? Wie können wir unsere armen Kinder ernähren, da wir für uns selbst nichts mehr haben?" „Weißt du was, Mann", antwortete die Frau, „wir wollen morgen in aller Frühe die Kinder hinaus in den Wald führen, wo er am dicksten ist, da machen wir ihnen ein Feuer an und geben jedem noch ein Stückchen Brot, dann gehen wir an unsere Arbeit und lassen sie allein. Sie finden den Weg nicht wieder nach Haus, und wir sind sie los." „Nein, Frau", sagte der Mann, „das tue ich nicht; wie sollt ich's übers Herz bringen, meine Kinder im Walde allein zu lassen? Die wilden Tiere würden bald kommen und sie zerreißen." „Oh, du Narr", sagte sie, „dann müssen wir alle vier Hungers sterben, du kannst nun gleich die Bretter für die Särge hobeln", und ließ ihm keine Ruhe, bis er einwilligte. „Aber die armen Kinder dauern mich doch", sagte der Mann.

Die zwei Kinder hatten vor Hunger auch nicht einschlafen können und hatten gehört, was die Stiefmutter zum Vater gesagt hatte. Gretel weinte bittere Tränen und

sprach zu Hänsel:„Nun ist's
um uns geschehen!" „Still, Gretel",
sprach Hänsel, „gräme dich nicht, ich will uns schon
helfen." Und als die Alten eingeschlafen waren, stand er
auf, zog sein Röcklein an, machte die Untertür auf und
schlich sich hinaus. Da schien der Mond ganz hell, und die
weißen Kieselsteine, die vor dem Hause lagen, glänzten
wie lauter Batzen. Hänsel bückte sich und steckte so viele
in sein Rocktäschlein, als nur hinein wollten. Dann ging er
wieder zurück, sprach zu Gretel: „Sei getrost, liebes
Schwesterchen, und schlaf nur ruhig ein, Gott wird uns
nicht verlassen", und legte sich wieder in sein Bett.

Als der Tag anbrach, noch ehe die Sonne aufgegangen
war, kam schon die Frau und weckte die beiden Kinder.

„Steht auf, ihr Faulenzer, wir wollen in den Wald gehen und Holz holen!" Dann gab sie jedem ein Stückchen Brot und sprach: „Da habt ihr etwas für den Mittag, aber esst's nicht vorher auf, weiter kriegt ihr nichts." Gretel nahm das Brot unter die Schürze, weil Hänsel die Steine in der Tasche hatte. Danach machten sie sich alle zusammen auf den Weg nach dem Walde. Als sie ein Weilchen gegangen waren, stand Hänsel still und guckte nach dem Haus zurück und tat das wieder und immer wieder. Der Vater sprach: „Hänsel, was guckst du da und bleibst zurück? Hab Acht, und vergiss deine Beine nicht." „Ach, Vater", sagte Hänsel, „ich sehe nach meinem weißen Kätzchen. Das sitzt oben auf dem Dache und will mir Ade sagen." Die Frau sprach: „Narr, das ist dein Kätzchen nicht, das ist die Morgensonne, die auf den Schornstein scheint." Hänsel

aber hatte nicht nach dem Kätzchen gesehen, sondern immer einen von den blanken Kieselsteinen aus seiner Tasche auf den Weg geworfen.

Als sie mitten in den Wald gekommen waren, sprach der Vater: „Nun sammelt Holz, ihr Kinder, ich will ein Feuer anmachen, damit ihr nicht friert." Hänsel und Gretel trugen Reisig zusammen, einen kleinen Berg hoch. Das Reisig ward angezündet, und als die Flamme recht

hoch brannte, sagte die Frau. „Nun legt euch ans Feuer, Kinder, und ruht euch aus. Wir gehen in den Wald und hauen Holz. Wenn wir fertig sind, kommen wir und holen euch ab."

Hänsel und Gretel saßen am Feuer, und als der Mittag kam, aß jedes sein Stücklein Brot. Und weil sie die Schläge der Holzaxt hörten, so glaubten sie, ihr Vater wäre in der Nähe. Es war aber nicht die Holzaxt, es war ein Ast, den er an einen dürren Baum gebunden hatte und den der Wind hin und her schlug. Und als sie so lange gesessen hatten, fielen ihnen die Augen vor Müdigkeit zu und sie schliefen fest ein. Als sie endlich erwachten, war es schon finstere Nacht. Gretel fing an zu weinen und sprach: „Wie sollen wir nun aus dem Walde kommen?" Hänsel aber tröstete sie: „Wart nur ein Weilchen, bis der Mond aufgegangen ist, dann wollen wir den Weg schon finden." Und als der volle Mond heraufgestiegen war, nahm Hänsel sein Schwesterchen an der Hand und ging den Kieselsteinen nach; die schimmerten wie neugeschlagene Batzen und zeigten ihnen den Weg. Sie gingen die ganze Nacht hindurch und kamen bei anbrechendem Tag wieder zu ihres Vaters Haus. Sie klopften an die Tür, und als die Frau aufmachte und sah, dass es Hänsel und Gretel waren, sprach sie: „Ihr bösen Kinder, was habt ihr so lange im Walde geschlafen, wir haben geglaubt, ihr wolltet gar nicht wiederkommen." Der Vater aber freute sich, denn es war ihm zu Herzen gegangen, dass er sie so allein zurückgelassen hatte.

Nicht lange danach war wieder Not in allen Ecken, und die Kinder hörten wie die Mutter nachts im Bette zu dem Vater sprach: „Alles ist wieder aufgezehrt; wir haben noch

einen halben Laib Brot, hernach hat das Lied ein Ende.
Die Kinder müssen fort, wir wollen sie tiefer in den Wald
hineinführen, damit sie den Weg nicht wieder heraus
finden; es ist sonst keine Rettung für uns." Dem Manne
fiel's schwer aufs Herz, und er dachte: „Es wäre besser,

dass du den letzten Bissen mit deinen Kindern teiltest." Aber die Frau hörte auf nichts, was er sagte, schalt ihn und machte ihm Vorwürfe. Wer A sagt, muss auch B sagen, und weil er das erste Mal nachgegeben hatte, musste er's auch das zweite Mal.

Die Kinder waren aber noch wach gewesen und hatten das Gespräch mit angehört. Als die Alten schliefen, stand Hänsel wieder auf, wollte hinaus und Kieselsteine auflesen wie das vorige Mal, aber die Frau hatte die Tür verschlossen, und Hänsel konnte nicht hinaus. Aber er tröstete sein Schwesterchen und sprach: „Weine nicht, Gretel, schlaf nur ruhig, der liebe Gott wird uns schon helfen."

Am frühen Morgen kam die Frau und holte die Kinder aus dem Bett. Sie erhielten ihr Stückchen Brot, das war aber noch kleiner als das vorige Mal. Auf dem Wege nach dem Walde bröckelte es Hänsel in der Tasche, stand oft still und warf ein Bröcklein auf die Erde. „Hänsel, was stehst du und guckst dich um?", sagte der Vater. "Geh deiner Wege." „Ich sehe nach meinem Täubchen, das sitzt auf dem Dache und will mir Ade sagen", antwortete Hänsel. „Narr", sagte die Frau, „das ist dein Täubchen nicht, das ist die Morgensonne, die auf den Schornstein oben scheint." Hänsel aber warf nach und nach alle Bröcklein auf den Weg.

Die Frau führte die Kinder noch tiefer in den Wald, wo sie ihr Lebtag noch nicht gewesen waren. Da ward wieder ein großes Feuer angemacht, und die Mutter sagte: „Bleibt nur da sitzen, ihr Kinder, und wenn ihr müde seid,

könnt ihr ein wenig schlafen;
wir gehen in den Wald und hauen
Holz, und abends, wenn wir fertig sind,
kommen wir und holen euch ab." Als es Mittag war, teilte
Gretel ihr Brot mit Hänsel, der sein Stück auf den Weg
gestreut hatte. Dann schliefen sie ein und der Abend verging. Aber niemand kam zu den armen Kindern. Sie
erwachten erst in der finsteren Nacht, und Hänsel tröstete
sein Schwesterchen und sagte: „Wart nur, Gretel, bis der
Mond aufgeht, dann werden wir die Brotbröcklein sehen,
die ich ausgestreut habe, die zeigen uns den Weg nach
Haus." Als der Mond kam, machten sie sich auf, aber sie
fanden kein Bröcklein mehr, denn die vieltausend Vögel,
die im Walde und im Felde umherfliegen, die hatten sie
weggepickt. Hänsel sagte zu Gretel: „Wir werden den Weg
schon finden"; aber sie fanden ihn nicht. Sie gingen die

ganze Nacht und noch einen Tag vom Morgen bis zum Abend, aber sie kamen nicht aus dem Wald hinaus und waren so hungrig, denn sie hatten nichts als die paar Beeren, die auf der Erde standen. Und weil sie so müde waren, dass die Beine sie nicht mehr tragen wollten, legten sie sich unter einen Baum und schliefen ein. Nun war's schon der dritte Morgen, dass sie ihres Vaters Haus verlassen hatten. Sie fingen wieder an zu gehen, aber sie gerieten immer tiefer in den Wald hinein, und wenn nicht bald Hilfe kam, mussten sie verschmachten. Als es Mittag war, sahen sie ein schönes, schnee-weißes Vöglein auf einem Aste sitzen, das sang so schön, dass sie stehenblieben und ihm zuhörten. Und als es fertig war, schwang es seine Flügel und flog vor ihnen her, und sie gingen ihm nach, bis sie zu einem Häuschen gelangten, auf dessen Dach es sich setzte, und als sie ganz nah hinkamen, sahen sie, dass das Häuslein aus Brot gebaut war und mit Kuchen gedeckt; aber die Fenster waren von hellem Zucker. „Da wollen wir uns dranmachen", sprach Hänsel, „und eine gesegnete Mahlzeit halten. Ich will ein Stück vom Dach essen, Gretel, du kannst vom Fenster essen, das schmeckt süß."
Hänsel langte in die Höhe und brach sich ein wenig vom Dach ab, um zu versuchen, wie es schmeckte, und Gretel stellte sich an die Scheibe und knusperte daran. Da rief eine

feine Stimme aus der Stube heraus: **„Knusper, knusper, knäuschen, wer knuspert an meinem Häuschen?"** Die Kinder antworteten: **„Der Wind, der Wind, das himmlische Kind"**, und aßen weiter, ohne sich irre machen zu lassen. Hänsel, dem das Dach sehr gut schmeckte, riss ein großes Stück davon herunter, und Gretel stieß eine ganz runde Fensterscheibe heraus, setzte sich nieder und tat sich wohl damit. Da ging auf einmal die Tür auf und eine steinalte Frau, die sich auf eine Krücke stützte, kam herausgeschlichen.

Hänsel und Gretel erschraken so gewaltig, dass sie fallen ließen, was sie in den Händen hielten. Die Alte aber wackelte mit dem Kopfe und sprach: „Ei, ihr lieben Kinder, wer hat euch hierher gebracht? Kommt nur herein und bleibt bei mir, es geschieht euch kein Leid." Sie fasste beide an der Hand und führte sie in ihr Häuschen. Da ward gutes Essen aufgetragen: Milch und Pfannkuchen mit Zucker, Äpfel und Nüsse. Hernach wurden zwei schöne Bettlein weiß gedeckt und Hänsel und Gretel legten sich hinein und meinten, sie wären im Himmel.

Die Alte hatte sich nur so freundlich angestellt, sie war aber eine böse Hexe, die den Kindern auflauerte und hatte das Brothäuschen bloß gebaut, um sie herbeizulocken. Wenn eins in ihre Gewalt kam, machte sie es tot, kochte und aß es, und das war ihr Festtag. Die Hexen haben rote Augen und können nicht weit sehen, aber sie haben eine feine Witterung wie die Tiere, und merken es, wenn Menschen herankommen. Als Hänsel und Gretel in ihre Nähe kamen, da lachte sie boshaft und sprach höhnisch: „Die habe ich, die sollen mir nicht wieder entwischen." Frühmorgens, ehe die Kinder erwacht waren, stand sie schon auf, und als sie beide so lieblich ruhen sah, mit den vollen roten Backen, so murmelte sie vor sich hin: „Das wird ein guter Bissen werden!" Da packte sie Hänsel mit ihrer dürren Hand, trug ihn in einen kleinen Stall und sperrte ihn mit einer Gittertür ein; er mochte schreien, wie er wollte, es half ihm nichts. Dann ging sie zur Gretel, rüttelte sie wach und rief: „Steh auf, Faulenzerin, trag Wasser und koch deinem Bruder etwas Gutes. Der sitzt draußen im Stall und soll fett werden. Wenn er fett ist, will ich ihn essen." Gretel fing bitterlich zu weinen an; aber es war alles vergeblich, sie musste tun, was die böse Hexe verlangte.

Nun ward dem armen Hänsel das beste Essen gekocht, aber Gretel bekam nichts als Krebsschalen. Jeden Morgen schlich die Alte zu dem Ställchen und rief: „Hänsel, streck deine Finger heraus, damit ich fühle, ob du bald fett bist!" Hänsel streckte ihr aber ein Knöchlein hinaus, und die Alte, die trübe Augen hatte, konnte es nicht sehen und meinte, es wären Hänsels Finger, und verwunderte sich, dass er gar nicht fett werden wollte. Als vier Wochen herum waren und Hänsel immer mager blieb, da übermannte sie die

Ungeduld und sie wollte nicht länger warten. „Heda, Gretel", rief sie dem Mädchen zu, „sei flink und trag Wasser! Hänsel mag fett oder mager sein, morgen will ich ihn schlachten und kochen." Ach, wie jammerte das arme Schwesterchen, als es das Wasser tragen musste, und wie flossen ihm die Tränen über die Backen herunter! „Lieber Gott, hilf uns doch!", rief sie aus. „Hätten uns nur die wilden Tiere im Wald gefressen, so wären wir doch zusammen gestorben!" „Spar nur dein Geplärr", sagte die Alte, „es hilft dir alles nichts."

Frühmorgens musste Gretel heraus, den Kessel mit Wasser aufhängen und Feuer anzünden. „Erst wollen wir backen", sagte die Alte. „Ich habe den Backofen schon eingeheizt und den Teig geknetet!" Sie stieß das arme Gretel hinaus zu dem Backofen, aus dem die Feuerflammen schon herausschlugen. „Kriech hinein", sagte die Hexe, „und sieh zu, ob recht eingeheizt ist, damit wir das Brot hineinschieben können!" Und wenn Gretel darin war, wollte sie den Ofen zumachen und Gretel sollte darin braten, und dann wollte sie Gretel auch aufessen. Aber Gretel merkte, was sie vorhatte, und sprach: „Ich weiß nicht, wie ich's machen soll; wie komm ich da hinein?" „Dumme Gans!", sagte die Alte, „die Öffnung ist groß genug. Siehst du wohl, ich könnte selbst hinein", krabbelte heran und steckte den Kopf in den Backofen. Da gab ihr Gretel einen Stoß, dass sie weit hineinfuhr, machte die eiserne Tür zu und schob den Riegel vor. Hu! Da fing sie an zu heulen, ganz grauselig; aber Gretel lief fort, und die gottlose Hexe musste elendig verbrennen.

Gretel aber lief schnurstracks zum Hänsel, öffnete sein Ställchen und rief: „Hänsel, wir sind erlöst. Die alte

Hexe ist tot!" Da sprang Hänsel heraus wie ein Vogel aus dem Käfig, wenn ihm die Tür aufgemacht wird. Wie haben sie sich gefreut, sind sich um den Hals gefallen, sind herumgesprungen und haben sich geküsst! Und weil sie sich nicht mehr zu fürchten brauchten, gingen sie in das Haus der Hexe hinein, da standen in allen Ecken Kästen mit Perlen und Edelsteinen. „Die sind noch besser als Kieselsteine", sagte Hänsel und steckte in seine Taschen, was hinein wollte. Und Gretel sagte: "Ich will auch was mit nach Hause bringen", und füllte sich sein Schürzchen voll. „Aber jetzt wollen wir fort", sagte Hänsel, „damit wir aus dem Hexenwald hinauskommen." Als sie aber ein paar Stunden gegangen waren, gelangten sie an ein großes Wasser. „Wir können nicht hinüber", sprach Hänsel, „ich seh keinen Steg und keine Brücke." „Hier fährt auch kein Schiffchen", antwortete Gretel, „aber da schwimmt eine weiße Ente, wenn ich die bitte, hilft sie uns hinüber." Da rief sie: **„Entchen, Entchen, da stehen Gretel und Hänsel. Kein Steg und keine Brücke. Nimm uns auf deinen weißen Rücken!"** Das Entchen kam auch heran und Hänsel setzte sich auf und bat sein Schwesterchen, sich zu ihm zu setzen. „Nein", antwortete Gretel, „es wird dem Entchen zu schwer. Es soll uns nacheinander hinüberingen." Das tat das gute Tierchen, und als sie glücklich drüben waren und ein Weilchen fortwanderten, da kam ihnen der Wald bekannter und immer bekannter vor und endlich erblickten sie von weitem ihres Vaters Haus. Da fingen sie an zu laufen, stürzten in die Stube hinein und fielen ihrem Vater um den Hals. Der Mann hatte keine frohe Stunde gehabt, seitdem er die Kinder im Walde gelassen hatte. Die Frau aber war gestorben. Gretel schüttelte sein Schürzchen aus, dass die Perlen und Edelsteine in der Stube herumsprangen, und Hänsel warf eine Handvoll nach der andern aus seiner Tasche dazu. Da hatten alle Sorgen ein Ende und sie lebten in lauter Freude zusammen.

Die Bremer Stadtmusikanten

Es hatte ein Mann einen Esel, der schon lange Jahre die Säcke unverdrossen zur Mühle getragen hatte, dessen Kräfte aber nun zu Ende gingen, so dass er zur Arbeit immer untauglicher wurde. Da dachte der Herr daran, ihn aus dem Futter zu schaffen; aber der Esel merkte, dass kein guter Wind wehte, lief fort und machte sich auf den Weg nach Bremen; dort, meinte er, könnte er ja Stadtmusikant werden. Als er ein Weilchen fortgegangen war, fand er einen Jagdhund auf dem Wege liegen, der jappte wie einer, der sich müdegelaufen hat. „Nun, was jappst du so, Packan?", fragte der Esel. „Ach", sagte der Hund, „weil ich alt bin und jeden Tag schwächer werde, auch auf der Jagd nicht mehr fort kann, hat mich mein Herr wollen tot schlagen. Da hab ich Reißaus genommen; aber womit soll ich nun mein Brot verdienen?" „Weißt du was?", sprach der Esel, „ich gehe nach Bremen und werde dort Stadtmusikant. Geh mit und lass dich auch bei der Musik annehmen. Ich spiele die Laute und du schlägst die Pauke."

Der Hund war's zufrieden und sie gingen weiter. Es dauerte nicht lange, so saß eine Katze am Weg und machte ein Gesicht wie drei Tage Regenwetter. „Nun, was ist dir in die Quere gekommen, alter Bartputzer?", fragte der Esel. „Wer kann da lustig sein, wenn's einem an den Kragen geht?", antwortete die Katze. „Weil ich nun zu Jahren komme, meine Zähne stumpf werden und ich lieber hinter dem Ofen sitze und spinne, als nach Mäusen herumjage, hat mich meine Frau ersäufen wollen; ich habe mich zwar noch fortgemacht aber nun ist guter Rat teuer; wo soll ich hin?" „Geh mit uns nach Bremen; du verstehst dich doch auf die Nachtmusik, da kannst du ein Stadtmusikant werden." Die Katze hielt das für gut und ging mit. Darauf kamen die drei Landesflüchtigen an einem Hofe vorbei, da saß auf dem Tor der Haushahn und schrie aus Leibeskräften. „Du schreist einem durch Mark und Bein", sprach der Esel, „was hast du vor?" „Da hab ich gut Wetter prophezeit", sprach der Hahn, „weil Unserer Lieben Frauen Tag ist, wo sie dem Christkindlein die Hemdchen gewaschen hat und sie trocknen will; aber weil morgen zum Sonntag Gäste kommen, so hat die Hausfrau doch kein Erbarmen und hat der Köchin gesagt, sie wollte mich morgen in der Suppe essen, und da soll ich mir heute abend den Kopf abschneiden lassen. Nun schrei ich aus vollem Halse, solang ich noch kann." „Ei was, du Rotkopf", sagte der Esel, „zieh lieber mit uns fort, wir gehen nach Bremen. Etwas Besseres als den Tod findest du überall; du hast eine gute Stimme, und wenn wir zusammen musizieren, so muß es eine Art haben." Der

Hahn ließ sich den Vor-
schlag gefallen, und sie
gingen alle viere zusam-
men fort.

Sie konnten aber die
Stadt Bremen in einem
Tag nicht erreichen und
kamen abends in einen
Wald, wo sie übernachten
wollten. Der Esel und der
Hund legten sich unter einen
großen Baum, die Katze und der
Hahn machten sich in die Äste,
der Hahn aber flog bis in die
Spitze, wo es am sichersten für
ihn war. Ehe er einschlief, sah
er sich noch einmal nach allen
vier Winden um; da deuchte
ihn, er sähe in der Ferne ein
Fünkchen brennen und rief sei-
nen Gesellen zu, es müsste nicht gar weit ein Haus sein,
denn es scheine ein Licht. Sprach der Esel: „So müssen
wir uns aufmachen und noch hingehen, denn hier ist die
Herberge schlecht." Der Hund meinte, ein paar Knochen
und etwas Fleisch dran täten ihm auch gut. Also machten
sie sich auf den Weg nach der Gegend, wo das Licht war

und sahen es bald heller schimmern, und es ward immer größer, bis sie vor ein hell erleuchtetes Räuberhaus kamen. Der Esel, als der Größte, näherte sich dem Fenster und schaute hinein. „Was siehst du, Grauschimmel?", fragte der Hahn. „Was ich sehe?", antwortete der Esel, „einen gedeckten Tisch mit schönem Essen und Trinken, und Räuber sitzen daran und lassen sich's wohl sein." „Das wäre was!", sprach der Hahn. „Ja, ja, ach, wären wir da!", sagte der Esel. Da ratschlagten die Tiere, wie sie es anfangen müssten, um die Räuber hinauszujagen, und fanden endlich ein Mittel. Der Esel musste sich mit den Vorderfüßen auf das Fenster stellen, der Hund auf des Esels Rücken springen, die Katze auf den Hund

klettern, und endlich flog der Hahn hinauf und setzte sich der Katze auf den Kopf. Wie das geschehen war, fingen sie auf ein Zeichen alle zugleich an, ihre Musik zu machen: Der Esel schrie, der Hund bellte, die Katze miaute, und der Hahn krähte; dann stürzten sie durch das Fenster in die Stube hinein, dass die Scheiben klirrten. Die Räuber fuhren bei dem entsetzlichen Geschrei in die Höhe, meinten nicht anders, als ein Gespenst käme herein, und flohen in größter Furcht in den Wald hinaus. Nun setzten sich die vier Gesellen an den Tisch, nahmen mit dem vorlieb, was übrig geblieben war, und aßen, als wenn sie vier Wochen hungern sollten. Wie die vier Spielleute fertig waren, löschten sie das Licht aus und suchten sich eine Schlafstätte, jeder nach seiner Natur und Bequemlichkeit. Der Esel legte sich auf den Mist, der Hund hinter die Tür, die Katze auf den Herd bei der warmen Asche, und der Hahn setzte sich auf den Hahnenbalken; und weil sie müde waren von ihrem langen Weg, schliefen sie auch bald ein. Als Mitternacht vorbei war und die Räuber von weitem sahen, dass kein Licht mehr im Haus brannte, auch alles ruhig schien, sprach der Hauptmann: „Wir hätten uns doch nicht sollen ins Bockshorn jagen lassen", und hieß einen hingehen und das Haus untersuchen. Der Abgeschickte fand alles still, ging in die Küche, ein Licht anzuzünden, und weil er die glühenden, feurigen Augen der Katze für lebendige Kohlen ansah, hielt er ein Schwefelhölzchen daran, dass es Feuer fangen sollte. Aber die Katze verstand keinen Spaß, sprang ihm ins Gesicht, spie und kratzte. Da erschrak er gewaltig, lief und wollte zur Hintertür hinaus, aber der Hund, der da lag, sprang auf und biss ihn ins Bein; und als er über den Hof an dem